Nos da, Fferm y Ffridd

Rhiannon Wyn Salisbury

ac

Elin Vaughan Crowley

Diolch i Nain a Taid
Ty'n y Pwll, Dinas Mawddwy

Cyfres Celt y Ci – Rhif 5

Argraffiad cyntaf: 2023

Dyluniwyd gan Richard Huw Pritchard

Dymuna'r cyhoeddwyr gydnabod cymorth ariannol
Adran Addysg Llywodraeth Cymru

Cynllun y clawr: Richard Huw Pritchard

Rhif Llyfr Rhyngwladol: 978 1 80099 460 7

Cyhoeddwyd ac argraffwyd yng Nghymru gan
Y Lolfa Cyf., Talybont, Ceredigion SY24 5HE
gwefan: www.ylolfa.com
e-bost: ylolfa@ylolfa.com
ffôn: 01970 832 304

nos

nos

nos ar y clos

pawb

cysgu

Mae'n nos yn Fferm y Ffridd.
Sh! Mae pawb yn cysgu.
Pawb ond...

5

...Llion y llwynog.

hela

Dydy Llion y llwynog
ddim yn cysgu yn y nos.
Mae Llion y llwynog yn
hoffi hela yn y nos.

 cwt

Dyma gwt yr ieir.
Mae Ifana yr iâr yn
cysgu yn y cwt. Sh!

tywyll

Mae'n dywyll, dywyll ar y clos.
Mae'n dywyll, dywyll yn y cwt.

Mae Glain y gath yn cysgu.
Mae Celt y ci yn cysgu.

ch ch ch

Mae pawb yn cysgu yn
Fferm y Ffridd.
Pawb ond Llion y llwynog.

11

palu

Mae Llion y llwynog yn hoffi palu.
Palu, palu, palu!

twll

O na!
Mae Llion y llwynog yn
palu twll i gwt yr ieir.

Mae'n dawel, dawel
yn Fferm y Ffridd.
Does dim siw na miw.
Dim siw na miw.

dim siw na miw **sh**

deffro

sŵn

Ond mae Celt y ci yn deffro.
Beth yw'r sŵn?

Mae Glain y gath yn deffro hefyd.
Beth yw'r sŵn yna?

Heb siw na miw, mae Celt y ci ar y clos.
Heb siw na miw, mae Glain y gath ar y clos hefyd.

Mae'n dawel
wrth y goeden.

Mae'n dawel wrth y fan.

Mae sŵn wrth gwt yr ieir!
O na! Sŵn palu, palu Llion
y llwynog.

Bang! Druan â Glain y gath.
Mae Glain y gath wedi taro
bwced.

mewian

Mae Celt yn cyfarth!
Mae Glain yn mewian!
Am sŵn!

22

meddai

Mae Iori y ffermwr a
Guto yn deffro.
"Beth yw'r sŵn?"
meddai Iori y ffermwr.

23

Mae Iori y ffermwr yn mynd
i'r clos.
Clep! Mae'r drws yn cau.
Mae'r drws yn cau yn glep!

drws

cau

Sh! Mae Llion y llwynog yn clywed sŵn. Beth yw'r sŵn?

Mae Llion y llwynog yn rhedeg i'r coed.
Mae Celt y ci yn cyfarth.
Mae Glain y gath yn mewian yn ofnus.

rhedeg

coed

yn ofnus

Mae'n nos ar Fferm y Ffridd ac mae pawb wedi deffro. Pawb ond Ifana yr iâr!

Geiriau allweddol

Tudalen

3. nos
4. ar y clos
5. mae'n, Fferm y Ffridd, sh, pawb, cysgu, ond
6. Llion y llwynog
7. dydy, ddim, hoffi, hela
8. gwt (cwt) yr ieir, Ifana yr iâr
9. yn dywyll
10. Glain y gath, Celt y ci
11. –
12. palu
13. o na, twll, i

14. yn dawel, does dim siw na miw
15. deffro, beth yw'r sŵn
16. hefyd, yna
17. heb
18. wrth y goeden
19. fan
20. –

21. bang, druan â, wedi taro bwced
22. cyfarth, mewian, am sŵn
23. meddai
24. mynd i'r, clep, drws, cau, yn glep
25. clywed
26. rhedeg, coed, yn ofnus
27. wedi

Cyfieithiad Saesneg
English translation

16. Glain the cat wakes up too.
    What's that noise?

17. Without a sound, Celt the dog is on the farmyard.
    Without a sound, Glain the cat is on the farmyard too.

18. It's quiet by the tree.

19. It's quiet by the van.

20. There's noise by the hen-coop!
    Oh no! The sound of digging, Llion the fox's digging.

21. Bang! Poor Glain the cat.
    Glain the cat has knocked a bucket.

22. Celt barks!
    Glain purrs!
    What a noise!

23. Iori the farmer and Guto wake up.
    "What's the noise?" says Iori the farmer.

24. Iori the farmer goes to the farmyard.
    Clap! The door closes. The door slams shut!

25. Shhh! Llion the fox hears a noise.
    What's the noise?

26. Llion the fox runs to the trees.
    Celt the dog barks.
    Glain the cat purrs in fright.

27. It is night-time in Fferm y Ffridd and everyone is awake.
    Everyone except Ifana the hen!

Holwch am bris argraffu!
www.ylolfa.com